KB003736

가여운 계절 나를 밝혀주오

2019년 10월 27일 초판 1쇄 발행
2019년 10월 27일 초판 1쇄 인쇄

지은이 | 최봄

인쇄 | 예인아트

펴낸이 | 이장우
펴낸곳 | 꿈공장 플러스
출판등록 | 제 406-2017-000160호
주소 | 경기도 파주시 회동길 301 (파주출판도시)
전화 | 010-4679-2734
팩스 | 031-624-4527
이메일 | ceo@dreambooks.kr
홈페이지 | www.dreambooks.kr
인스타그램 | @dreambooks.ceo

잘못 만든 책은 구입하신 서점에서 바꾸어 드립니다.

꿈공장⁺ 출판사는 모든 작가님들의 꿈을 응원합니다.
꿈공장⁺ 출판사는 꿈을 포기하지 않는 당신 곁에 늘 함께하겠습니다.

ISBN | 979-11-89129-42-2

정 가 | 12,000원

가여운 계절 나를 밝혀주오

가여운 계절 나를 밝혀주오

목차

prologue

사랑하는 그대에게

애틋한 추억의 기록들이 단풍잎처럼 쏟아질 때 그리워할 그대를 떠나보냈어요. 빨갛게 물든 단풍잎을 보며 밤새 울었고, 가을 달빛에게 밤새 위로받았어요. 나를 위해 물든 단풍도 아니고, 나를 위해 뜬 달도 아닌데 말이에요.

그대가 내 곁에 있을 땐 이별을 생각했고, 그대가 내 곁에 없을 땐 만남을 생각했어요. 늘 있던 자리에 그대가 없어 자꾸 눈물이 납니다. 그대 보고 싶은 마음은 하루하루 커져만 갑니다. 계절에 담긴 그리움의 조각들을 가슴에다 끌어안고 못다 한 나의 이야기를 밤새 들려줄게요.

그대도 지금 나처럼 밤하늘의 별을 세고 있나요? 날 기억해 주라는 말 잊지 않고 찾아온 그때처럼 꽃이 피기 전에 다시 내게 와 줄 거죠?

2019년 10월 최 봄

편지

기척도 없이 그대 내 마음에
들어와 있었네요

조금은 놀랐어요
이 계절에는 총총거리며
지나가느라 바쁜데
어쩌자고
내 마음에 머무르려고
작정했는지요

그대를 보자마자
이별을 생각한 건
계절 탓이에요

혹시나 해서 당부해요
내 허락 없이 가려거든
짧은 편지 한 통 부탁해요
꼭 그래야 해요.

나의 사랑이

내린다

쌓인다

녹는다

흘러간다

너에게로.

눈꽃

가로등 아래로 반딧불이들이
모여들었던 계절은 벌써 추억이 되려나 봐요

밤하늘이 텅 빌 때까지 애써 꽃을 피워내려는
아련한 그 마음에 내 마음도 뭉클해지고

밤새 내린 꽃이 내일 다 져버려도
슬퍼하지 말아요

속눈썹 위로 살포시 내려앉은 꽃잎 한 장
슬퍼 돌아누운 내 등을 토닥거리고

사연을 모르는 꽃들은 밤새 흐드러지게
피어나고 또 피어나고.

그대

시가 무엇이냐고
그대 내게 물어오면
나는 '그대' 라고 답하리

나의 대답에
그대 두 눈을 동그랗게 뜨고
쳐다보면

그대 이미 답을 얻었다고
미소 지으리.

고드름

생각보다 오래 머물렀다
고마웠다고
예뻤다고
이제는 처마 끝에서
천천히 서둘러도 된다고

차가운 바람에 웅크리고 있던
너에게 따뜻한 햇살이 스며들어
살포시 기지개를 켜자
너는 보석처럼 빛이 났다

기억해 주라는 너의 마음
이마에 똑떨어져
불쑥 올려다본 처마 끝에서는
오후 내내 여우비가
그칠 줄을 모른다.

당신이 그래

재미없는 나의 일상도

평범한 풍경도

빛나게 해주는 게 있어

당신이 그래

난 그래서 당신이 너무 좋아.

그렇게 사랑해요

저에게 오실 때는
아기가 첫 발을 떼듯
천천히 와주세요

저에게 오실 때는
눈길을 걷듯
조심조심 와주세요

우리 천천히
우리 조심조심
그렇게 사랑해요.

그대 내게 봄이니까

기다리지 않아요

머릿속을 파고드는
찬바람이 비웃어도
시린 볼을 끌어안으면
그만이에요

약속하지 않았어도
다그치지 않아도
어차피 올 거니까
그대 내게 봄이니까.

경칩

봄이 왔다길래 창문을 열어보니
창밖에 앉아있는 개구리 한 마리.

봄비

봄비가 내리고 있어

얼른 우산을 쓰고 나가
봄이 온 대지를 살포시 밟아봐

아지랑이가 살랑살랑
너의 발가락을 간지럼 태울 거야

우산에 떨어지는 빗소리를 들으며
사뿐사뿐 걷다 보면

봄이 너의 발자국을 따라올 거야.

겨울 그 다음 계절

부르다 만 이름이여
너는 봄이어야 했다

낯선 이방의 땅에서
너를 찾아 헤맸다

그림자 흔들려
눈물 흐르고

떨어진 꽃잎으로
너의 이름을 곱게 써서
불러본다

겨울 그다음 계절로
오는 너는
끝까지 봄이었다.

마중

사뿐사뿐 걸어봅니다
멀리 그대 발자국 소리 놓칠까 봐

소곤소곤 속삭여봅니다
그대 나를 부르는 목소리 듣지 못할까 봐

여기저기 기웃거려 봅니다
그대 이미 내 곁에 와 있을까 봐

목 빠지게 기다려도 살짝 왔다가
홀연해 가버리기에

예쁜 꽃신 신고 아지랑이 피어오르는
논둑길로 그대 마중 나갑니다.

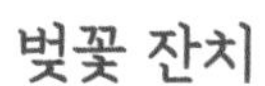

벚꽃 잔치

간지러워 간지러워 아이 간지러워
봄 햇살이 간지럼을 태워요

까르르 까르르 까르르르르

벚꽃들이 간지럼을 참지 못하고
꽃망울을 터트려요

시원해 시원해 아이 시원해
봄바람이 벚꽃의 등을 긁어줘요

파르르 파르르 파르르르르

물고기가 물방울을 털어내듯
벚꽃들이 꽃잎을 털어내요.

봄 한 톨

앙증맞은 오솔길을 따라
호숫가로 산책을 나선다

가는 길에 손을 내미는 녀석들과
악수도 하고
이름 모를 풀꽃에게
이름도 물어보고
산새들이 나뭇잎들과
수다 떠는 소리에
귀도 기울여본다

바람이 불어
봄 한 톨이
너의 머리에 내려앉았다

봄은 이미 그렇게 왔다.

오늘

그냥 보내기에
아쉬웠던 오늘

햇살은 찬란하고
설렘은 가득했던 오늘

봄이 단 하루여도
후회 없을 것 같았던 오늘

꽃잎은 지고
바람은 스쳐가도
마냥 행복했던 오늘.

민들레

대문 밖 담벼락 귀퉁이에
홀로 핀 민들레를
고양이 한 마리가 쪼그리고 앉아
물끄러미 바라본다

내 발자국 소리에 놀란 녀석은
달아나 버리고

내가 대신 쪼그리고 앉아
민들레를 바라본다

그렇게 한참을 바라보니
사랑이 자란다
너를 향한 사랑이 자라난다.

첫 눈에 반하다

책에 있는 머리말의

첫 구절에 반한 것처럼

난 너에게

첫눈에 반해버렸어.

흔하디 흔한 말

사랑한다고 말해줘

너를 사랑하는 나는 행복한데

너도 나처럼 행복한지 궁금해

사랑한다는 말을 듣고 싶어

그 흔하디 흔한 말을

매일 듣고 싶어.

고백

눈을 감아도 향기를 따라가면
그대 품 안이에요

켜켜이 쌓아 올린 나의 마음
일곱 빛깔로 하늘에 띄우고

그대 내 이름 곱게 부르면
수줍게 숨어있던
유리처럼 말간 굄성에
내 마음 몰랑해져

그대가 오는 길에 서서
고운 바람 소리로
고백의 입술을 빚어냅니다.

손 편지

떨어지는 꽃잎에 손 편지를 써서
그대에게 줄 책 속에 끼워둘게요

생각지도 못한 편지를 받고
그대 행복했으면 좋겠어요
그대가 행복하면 나도 행복할 테니

책 속에 내 마음도 살짝 끼워둘게요
내 마음을 꺼내 볼 그대 모습이 궁금해요

생각지도 못한 모습은 싫어요
내 마음은 그대 모습에 달렸거든요.

벚꽃

내 눈 속에다 지대로 담기도 전에
어짠다고 그리 허망하게 가븐다요
섭섭하당께라

시방 갈 때가 돼서 가는 것이요
빗방울이 내려앉응께
빗방울이랑 눈이 맞아 그랬소
그저 바람이 불어 그랬는가
모르겄소만

이리 허망하게 가븐께
속이 쓰리요
기다린 세월이 얼만디
솔찬히 섭섭하요

밤새 맹글어준
하얀 꽃길이나 걸으며
서글픈 내 맘 달래 볼라요.

이름

당신 이름을 보며
하루를 시작합니다

당신 이름만 봐도
배시시 웃음이 나와요

아무려면 어때요
당신은 그런 사람이에요

당신 이름만으로도
나를 행복하게 만드는
당신은 내게 그런 사람이에요.

격조 높은 마음

아침 인사를 건네 볼까
점심 잘 먹었냐고 물어볼까
오늘 하루 어땠냐고
지금 뭐하냐고
아니 이따 보자고 해볼까

그대 마음 궁금해
하루 종일 내 마음 시끄러워도
나와는 다른 마음일까 싶어

그대 보이는 창 밖에
내 마음 닮은 꽃 한 송이
피워 보냅니다.

그대 생각

잘 지내나요

비가 내려 그대 생각이 났어요

썩 괜찮은 노래 하나 주머니에 넣고서
그대와 함께 듣는 상상을 했어요

결국 생각이나 하고 상상이나 하면서
그만 두지 못하는 이런 나는 잘 있어요

지금 썩 괜찮은 그 노래를 혼자 듣고 있어요

비는 내리고 햇살은 없는데
애써 반짝이고 싶네요

이 비는 언제쯤이나 그칠까요.

그 말 한마디

흐드러지게 피어 주렁주렁 매달린 것이
탐스럽고 예뻐서 하늘로 손을 뻗었더니
손가락 사이로 햇살 쏟아져
떨어지는 눈물인 냥 꽃잎 흩날리고

기약 없는 이별은 아니어도
흘러내리는 눈물이 슬퍼
기다리라는 그 말 한마디가 애틋했던
봄이라 행복했소.

등나무 꽃

보랏빛 알알이
소담스러운 등나무 꽃이
어떤 사람의 진심이라면

그곳을 청소하는 사람에게는
진심이 한낱 의미 없는
쓰레기일 수 있다는 것을

이렇게 예쁜 꽃을 보면서
깨달아야 하다니

4월은 참 잔인하다.

망설임

망설임 끝에
너에게 다가가려 해

너의 표정
너의 미소
너의 목소리
이제 하나라도 놓치고 싶지 않아

봄이 오기도 전에
내 마음은 봄빛으로 가득 찼고

버텨온 내 마음은
너 때문에 무너져 내린다.

묘한 너

내게 다가와
날 설레게 만드는 너

눈을 감아도
눈을 떠도

사라지지 않는
묘한 너.

분갈이

오늘은 작년에 심었던
꿈을 분갈이하는 날이에요

들뜬 내 마음처럼
꽃망울이 살랑거려요

어라, 고양이가 잎사귀를 잡고
흔들고 있었네요
하마터면 큰일 날 뻔했어요

한참 놀던 고양이가 지쳤는지
낮잠을 자러 갔어요
귀여운 훼방꾼이 없어졌으니
얼른 분갈이를 해야겠어요

꽃과 화분이 잘 어울렸으면 좋겠어요
꽃이 피면 사진 꼭 찍어둘게요.

당신

당신을 닮아 햇살이
따스한 날이네요
햇살 따스한 날
당신이 보고 싶은 건
당신을 사랑해서에요

소란스런 내 마음을
꽃봉오리에 옮겨 두었어요
당신 모습이 보이네요
내 눈에 당신 모습만 보이는 건
당신이 그리워서에요

걸어가는 길마다
내 마음 활짝 피워두고
당신을 기다릴게요
늘 당신과 함께 있고 싶은 건
당신이 나의 심장이라서 그래요.

떨림

꽃을 보고 있을 때는 몰랐네
꽃 지고 나니 그리움 더해지네

꽃잎에 물들어 발그레진 너의 얼굴은
꽃이 진 나뭇가지로 날아들어
내 마음의 그리움을 덜어내고

연둣빛 잎사귀 사이로 스며든
오월의 싱그러움에
내 마음 다시 떨려오네.

얄미운 너

어쩌면 그리 쉽게 흔들리는지
이 사람 말, 저 사람 말
그 말 따라 팔랑팔랑

어쩌면 생각 없이 자신을
드러내는지
이 마음, 저 마음
그 기분 따라 갈팡질팡

너 참 밉다.

일장춘몽

붙들고 있던 꽃잎 한 장
마저 떨어지면
밤마다 닦아놓은
꿈길로 나는 달려갑니다

오랜 기다림이었어요
일장춘몽처럼 날아가 버린
꽃잎이라 아쉬워했지만

안타까운 내 마음은
그대에게 가는 길에 깔리어
꽃길이 되었어요

사무치는 이 마음
그대에게 달려갑니다

마주하게 될 그대가
부디 내 마음과 같았으면 해요.

어느 시인의 설거지

어제까지 설거지는
귀찮은 설거지
하기 싫은 설거지

오늘 설거지는
달그락달그락
재밌는 설거지
기분 좋아지는 설거지

이제 설거지도 내게
기쁨을 주는구나.

어긋난 봄

부치지도 못할 편지를
밤새 내내 쓰다가
봄이 불쑥 내게 찾아왔어요

그대는 아직도 겨울인지
혹시나 하고
편지 한 통을 보내봅니다

내게 온 봄은 가려나 봐요
그대에게 봄이 왔는지
무척이나 궁금합니다

나는 괜찮아요
잠시라도 내가 그대에게
봄이었다면
나는 그것으로 행복해요.

낙화

무모하게

짜릿하게

끝났다

피다만 꽃은 시들고

아무도 슬퍼하지 않았다

떨어진 그 자리에서

피어 보지도 못한 꽃은

말이 없다.

이별

그동안 행복했습니다
밤새 내내 봄은 내리고
숨 막히게 아름다웠던 그대는
새벽녘이 돼서야
덤덤해졌습니다

꽃을 잃고
꾹꾹 참아내어도
그대 얼굴은 야속하게
희미해집니다

꿈꾸던 미소는
일기장에서
추억으로 번지고

떨어진 꽃잎은 이 봄날에
속절없이 바래갑니다.

얼척없는 사이

뭐가 그리 고마운데

뭐가 그리 미안한데

됐어

우리 사이에.

달빛 바람

달 떠오르니
그대 두 볼 달빛에 취해
발그스레 물들고

바람이 지나가며
꽃잎 흩날리더니
내 마음까지 흔들어대는구나

두어라, 그냥 두어라
이 밤 부르다 만 노래
달빛 따라가라고

달빛에 취한 바람 불어와
내 마음 흔들렸다고
잠시 그런 거라고.

다시 오월

넌 내 곁으로 다시 왔다

상큼한 바람에 너의 머리카락은 살랑거리고
그런 너를 바라보는 내 눈엔 눈물이 맺힌다

너의 향기는 진한 여운으로 남아
산 위에 걸쳐있는 반달 위로 부서져 내려
밤하늘에 너의 이름을 쓴다

가려거든 다시 오거라
여기 너를 기다리는 내가 있다

너의 이름이 아로새겨진 밤하늘을
아련하게 바라보며
너와의 작별을 준비한다.

격정

봄의 격정으로 태어나
너만의 색깔로
미친 듯이 춤을 추는 너

이렇게 격렬하게
흐르는 봄이 있었던가.

월요일

이른 새벽에 어김없이 배달된
하루가 어제와 다르게
묵직한 것이 맘에 들지 않지만

내 껌딱지가 그르렁 한 번 해주니
기분이 좋아져서 출근을 서두른다

월요일 출근길

화단에 무궁화 세 송이만
피어있으면 좋겠다.

나비

긴 한숨 내쉬고 길 찾아가는 나비는
몸도 마음도 무거워져 날아오르지 못하네

햇살의 무게까지 짓눌려
꽃을 찾아가는 길이 멀기만 하구나

긴 한숨 다시 내쉬고 두근거리는 가슴
잠시 내려두고서야 팔랑팔랑
날아오른다.

오수

고요했던 순간이 한참을 시끄러웠다

동그랗게 뜬 눈이 허공을 헤매도
고양이의 수염은 여전히 빳빳하다

기지개를 켜다가 삐끗한 어깨에 놀라
인중에 땀이 나도 눈만은 마주치지 말자

가늘게 뜬 눈은 동공을 살짝 키워내려다
눈꺼풀을 얼른 닫고 고요한 순간으로
빠져든다.

말들

누구나 말할 수 있지만
머뭇거리게 되는 말들

누구나 말하고 나서
잘하면 본전이었던 말들

내 입 속에
내 마음 속에
자꾸 가두게 되는 그런 말들.

낯선 그리움

무딘 마음은 봄이 온 줄도 모르고
헛된 기대감은 너의 마음에 속아
흔들린다

지천으로 이쁜 꽃 피어나 나를 비웃어도
그만두지 못하는 나는 천박한 손을 내밀어
너를 붙들고

무작정 던진 이 마음 나의 전부라서
너만은 나를 비웃지 말아 줘

들켜버린 마음 이미 와있는 봄을
기다리지 못하고

흔들리다가
흔들리다가
낯선 그리움으로 진다.

꽃 궁둥이

옥상에 달을 가두고서
너와의 산책을 재촉한다

맞닿은 손은 하늘로 이어지고
우리의 눈길이 머무는 곳으로
발걸음이 바빠진다

돌아누운 너의 궁둥이가
이렇게 탐스러웠던가

옥상에 가둔 달은 깜빡거리다
이내 꺼져버린다.

어부

별이 쏟아진다

쏟아지는 별을
두 손으로 받아
양동이에 가득 담고
주머니에도 가득 담고

별바다였던 하늘은
바다가 되고
하늘이었던 바다는
다시 별바다가 되고

오늘도
별이 쏟아지는 별바다에서
나는 별을 건져 올리는
어부가 된다.

봉숭아 물들이기

동글동글 빚어낸
두근거리는 마음
조심스레 손톱에 올리고

이뻐져라, 이뻐져라
주문을 외우고
밤새 내내 벌을 서다
잠들었는데

첫사랑이 이루어진다는
간절한 소원은
붉은 향기로 피어나
저만치 도망가 버리고.

달무리

달빛 내려앉아
동그란 띠를 이루어
내 마음속에
그리움 하나 남기고

반달은 보름달인 양
넉넉함으로
더위에 지친 들꽃들에게
여름 소나기 흩뿌리고

덤으로 들려주는
여름밤
여름 이야기.

장미, 스러지다

꽃들의 수다가 잦아드는
저녁을 지나

적막이 흐르는 밤에
아스라이 스러지는구나

눈물로 화려하게 피어나더니
고혹적으로 스러져 가는구나

빨간 꽃송이를 떨구고서
기억하지 못할 꿈을 꾸러

원래 왔던 그곳으로
돌아가는구나.

갈매기

무리에서 떨어져 나온
힘찬 날개 짓은
점이 되어 사라진다

낭만의 처절함으로
하얀 물보라는
먼바다로 나가지 못하고

돌아오는 법을
잊어버린 날개 짓은

헤매는 그곳에다
그리움을 쌓는다.

비처럼

비가 오네요

기다렸는데

너도 비처럼

내게 그렇게

왔으면 좋겠어.

일일초

날마다 꽃을 피워냈어요

햇살이 차올라
꽃은 어김없이 피어나고

마음을 다한 꽃잎은
눈물이 되었어요

그 모습 그대로 사랑할게요
마지막 모습 감추지 말아요

꽃잎은 차오르고
내일도 피어날 거예요

그대여,
맘껏 피워내세요
이 계절 내내 그대를 사랑할게요.

단추에게 용서를 구하다

고집불통 단추가
채워지질 않는다고
단추를 탓하다가

이리 다시 보니
단추 구멍이 작아서 그런 걸
단추 너만 탓했구나

단추야, 미안하다
이제라도 너만 탓한
나를 용서하렴.

괜한 생각

쓸데없이 더워 이마에 땀이 솟고
흩뿌려진 생각에 의미를 부여하려는
눈빛들이 흔들린다

한없이 길어져 버린 하얀 밤은
숙제를 던져주고

시계 침을 붙들고 뒷걸음치던 나는
돌부리에 발꿈치를 부딪쳐버렸다

아픈 뒤꿈치를 들여다보다
괜한 생각 하나 더 늘었다.

도라지꽃

하늘에서 떨어진 별 하나

달빛 아래에서 반짝이다가

보랏빛으로 물들었다

이쁜 모습 한껏 뽐냈으니

그랬으면 됐다

시들었어도 너는 어쩌면

더 아름다웠을 꽃이다.

나무

흔들리는 나무가 되거라
바람에 마음껏 흔들리거라
땅 속 깊이 뿌리를 내려
비바람 이겨내고
태풍도 견뎌내는
나무가 되도록
마음껏 흔들리거라.

수국

변덕스러운 너 때문에 타들어가는 마음은
사랑한다 말하고 눈물만 글썽인다

지독한 사랑앓이로 꽃잎을
하나하나 피워내던 날
비는 내리고 내 마음도 울었다

눈물을 머금은 수국을 꺾어다가
너의 집 앞에 두었다

애달픈 나의 사랑이여,
이제 내 마음을 내려두련다.

우리 사이

갓 지은 밥이 맛있는 것처럼
우리 사이도 늘 그랬으면 좋겠어.

민낯

카페인에 취한 밤은
새벽의 민낯이 보고 싶어

새벽으로 이어지는
그 순간을 놓칠세라
얼음을 딸그랑거렸다

어지러운 생각들은
가지치기하면서
제 모습을 잃어가고

밀려오는 졸음은
결국 나를 품으로 안아냈다.

별빛 가득한 언덕

오늘 같은 날은 언덕에 오른다
하늘 가득 별을 뿌려
너를 맞이할 준비를 하고

동쪽 하늘에 달을 달아
별빛 반짝이면
너는 예쁘게 꽃단장을 하고서
내가 기다리는 언덕에 오른다

내 심장소리에 별빛이 흔들릴 때
너를 따라오는 달빛도 흔들렸다

어서 오렴
널 기다리고 있는
별빛 가득한 언덕으로.

해바라기

노란 꽃잎 떨어지자
뭉툭한 씨앗들은
기다렸다는 듯 온 힘을 다해
알갱이를 채워나간다

중력을 이기지 못한 대가리는
뜨거운 뙤약볕 아래서
땅 무덤만 파다가
이내 꼬꾸라져 버리고

해질 무렵
저리 처절하게 울어대는 매미가
지 짝을 찾았는지는
차마 입에 담지 못함이요.

발자국

떠나가는 발자국은 그리움이고
돌아오는 발자국은 반가움이고
머무르는 발자국은 사랑이다.

계절의 길목

계절의 길목으로 돌아왔다

흔들리는 그림자 사이로
꽃들은 단장하느라 바쁘고

각자의 계절에서 외로웠던 우리는
함께 바라보고 있는 계절로 흐른다

꽃들이 실컷 피어나고서야
그 계절은 끝이 났고
우리는 가까스로
각자의 계절을 기억해냈다

마음은 별빛처럼 쏟아져 내리고
우리는 쏟아지는 마음을 애써 외면한 채
계절의 길목에서 마주하고 서있다.

니 생각

환하게 세상을 비추는 등 하나
하늘에 켜 두고
네가 무슨 생각할까 궁금해
찾아왔어

풀벌레 소리에
넌 내가 온 줄도 모르고
난 그런 너에게 다가간다

얼른 자라고
내가 니 옆에 왔으니
내 생각 그만하고 자라고

환한 등도 꺼지고
별들도 사라지고
풀벌레 소리도 사라졌으니
이제 그만 자라고.

가을이잖아요

하늘은 파란 물감을 풀어
파랗게 덧칠하고

기럭지가 길어진 밤은
파란 꿈을 꾸며
밤새 흔들렸어요

소곤거리던 새벽은
숨을 죽이고 기다리다
시월의 향기에 흠뻑 젖어
파랗게 기지개를 켜네요

눈부신 하루가 되려나 봐요
미뤄둔 날만큼
하늘을 쳐다볼래요
가을이잖아요.

홍시

말랑말랑
때깔도 이쁜 것이
나를 유혹하네

탱탱한 속살 속으로
번져가는 미소를
기다리지 못해

지쳐버린
못난 손이
먼저 만져버렸다고

한 입 겨우
허락받고서야
용서받았다고.

가을

담벼락까지 물들었어요
담을 넘어가 볼래요
가을이 어디까지 왔나 궁금하거든요

담장을 넘어서다 나랑 눈이 마주쳐
서로 멋쩍어 피식 웃었어요

까치발을 들고 하늘을 바라봤어요
파란 하늘을 눈에다 듬뿍 담았더니
저절로 또 웃음이 났어요

행복하게 물들어 가라고
따뜻하게 물들어 가라고
눈부시게 물들어 가라고

가을은 잠시 걸음을 멈춰 섰어요.

억지 고백

당신의 말 한마디에 마음이 베이고
당신의 억지 고백에 나는 휘청거립니다

사랑한다고 말해주면 행복할 텐데
나는 당신을 만나기 전보다 더 외롭습니다

사랑이라는 단어는 당신에게 낯설고
사랑을 구걸하는 나는 그런 당신이
낯설기만 합니다

당신은 나에게 사랑한다고 고백합니다
억지 고백을 듣는 나는 너무나 슬픕니다

점점 차가워지는 심장을
나는 한참 동안이나 어루만집니다.

내 마음

흐린 하늘을 보니
내 마음 같아
눈물이 났어

파란 하늘을 보니
내 마음이 그랬으면 해서
눈물이 났어

내 마음이 그런 걸 어떡해.

I belong here

연어가 강을 거슬러 올라가듯

세월도 거슬러 올라갈 수 있다면

나는 떠나지 않으리

이 계절 안에 머무르리.

사랑이란다

따뜻해
그렇게 안아줘

떨어진 낙엽만큼
가을은 짙어간다

그래, 그게 사랑이란다

속삭이던 입술은 붉어지고
따사로운 햇살은 서두르지 않아

바스락바스락

쉿, 귀를 의심하지 마

너라서
나의 심장이 허락해서
와락 껴안았다.

집밥

밥 먹어라
어여, 밥 먹어라
오랜만에 엄마의 시끄러운
자명종 소리에 잠을 깬다

쭈글쭈글한 손으로 뚝딱 만들어 낸
아침 밥상
된장찌개, 에고 짜라
고등어는 까맣게 탔고
계란찜은 냄비 바닥에 눌러붙고

세월 앞에서 방향 잃은 엄마의 손맛에
잠이 확 깬다
그러다 흐르는 한 줄기 눈물

엄마의 잔소리가 그리운 날
엄마 밥 먹으러 집에 가고 싶다
엄마의 맛없는 집밥이
너무나 먹고 싶다.

그게 사랑이에요

생각해보니 그대는 내게 사랑한다고
말한 적이 없어요

그대는 내가 보고 싶다고
나를 아껴주고 싶다고 했는데
맞아요
그게 사랑이에요

내 눈과 내 귀는 그대만 쫓아가요
그대도 그렇다면
맞아요
그게 사랑이에요

그대만 보면 심장이 뛰고
그대만 보면 바보처럼 웃게 돼요
그대도 그렇다면
맞아요
우리 서로 사랑하는 거예요.

한 계절 사랑

살짝 슬키고 지나갔다

뭐, 대수라고

며칠이 지나자

딱지가 내려앉았다

이것도 상처라고

딱지가 생겼네.

낭만

우리네 인생 살다 보면
다 거기서 거기라지만
따뜻한 시 한 구절
가슴에 품고서 물들어 가는 거라고

천천히 함께 걸어가는 계절이 있기에
우리의 삶이 빛나고
세상이 아름다운 거라고

동그래졌다가 네모 반듯해지고
삐뚤 빠뚤 정신없는
그런 흐트러짐이 낭만이라고

가슴 떨림으로 잠 못 드는 밤
별빛 넘쳐흐르는 밤하늘이
다 내 것이라고 우겨도 되는 거라고.

달이 가는 길

익숙한 넓은 하늘 그 어디쯤에 걸려있는
너의 마음 툭 떨어져 내게 오려나

뻔한 길 위에 있던 그렁거리는 눈은
가려던 길을 멈추고
멀어져 가는 너의 뒷모습을
지워내고 또 지워냈다

잰걸음으로 달려가도 이제는
너를 따라갈 수 없고
슬픈 뒷모습은 아니어도 괜찮아질 때까지
내 옆에 있어준다고 약속한 건 아마도 너였지

가려던 길 가렴
저녁 바람에 비어있는 하늘은
오늘따라 달그랑 달그랑 요란스럽기만 하다.

스쳐가다

내 이름이 궁금해도 물어보지 말아요
우린 그저 스쳐가는 바람입니다

내 이름을 알게 되더라도 그냥 잊어버려요
우린 스쳐 지나가는 나그네랍니다

우리 서로에게 얽매여 마음 쓰지 말아요
우리 서로에게 잊힐까 두려워하지도 말아요.

그 밤 달빛

그대를 사랑한다고 말했던
입술은 달빛으로 물들고

그대를 내 곁으로 데려다 줄
내일은 아직 멀리 있습니다

보고픈 그대의 목소리는
내 귀를 밤새 내내 간지럽히고

풀냄새 나는 보드라운 입술이
내 살갗을 스쳐 지나가
문득 잠에서 깨어나 보니

그 밤에 달빛은
하얗게 부서져 내립니다.

잊는 것도, 잊혀지는 것도

잊는다는 건
티 안 나게
상처 나지 않게
하나하나 지워 가는 거예요

잊힌다는 건
내가 아니어도
내가 옆에 없어도
괜찮다는 거예요

아파오네요

쉬운 건 없어요
잊는 것도
잊히는 것도.

거짓말 탐지기

네가 걱정돼서
말 한마디 건넬 때도
이것이 필요한 세상.

달산 씨, 달산 씨, 우리 달산 씨

달산 씨,
오늘은 내가 기분이 좋아서 한 잔 해써라
기분이 조응께 술이 잘도 들어갑디다

우리 달산 씨 생각나서 한 잔
우리 달산 씨 보고 싶어서 한 잔
우리 달산 씨 뭐하나 궁금해서 한 잔
내일은 우리 달산 씨랑 한 잔 하고 싶소

고하도로 병풍 두르고
그 병풍에다 시 한 수 적어 내리고
별을 따서 술잔에 띄우고
목포대교 봄시로
우리 술 한 잔 해야 하지 않겄소

보고 싶어도 기다리쇼
내가 달산 씨 보러 갈랑께
나 달산 씨가 겁나게 보고 싶소.

니가 살고 있는 창문

똑같은 집에
똑같은 창문 속에서
네가 살고 있다

떠나는 이들
돌아오는 이들은
메아리를 아랑곳하지 않고
짖어대는 소음을 내동댕이친다

떠났다가 돌아오고
다시 돌아와서는
허락된 창문으로 올라간다

기다리는 시간은 길어지고
나는 네가 살고 있는 창문을
하염없이 바라본다.

어긋난 사랑

보고 싶다고 말하는 게
얼마나 이기적인지
그 사랑은 욕심이었다
그리움은 사치였다

떨어지는 나뭇잎을 보내기 싫어
나뭇가지에 붙여 놓은들
온전한 나무가 되겠느냐

계절이 가듯 사랑도 가고
계절이 오듯 사랑도 다시 온다

하지 마라
미련 없이 보내줘라.

햅쌀밥

햇살 비 내려 수천 번의 손길 스쳐
황금빛으로 물들고

논두렁 걸음마다 흐뭇한 미소 심어두어
웃음소리 커져가고

방해하러 날아든 참새들 쫓으려
하루 종일 깡통 흔들다가 지쳐버린
허수아비의 손이 슬퍼서

볏짚 그늘 만들어 얼른 쉬라는
예쁜 마음 담아

저녁 밥상 찬 없어도 보름달 마냥 배부른
가을 저녁이 금방 오려나 봐요.

마침표

보이지 않는 거죠
보고 싶지 않은 거죠

내 눈에서 흐르는 눈물은
오늘까지 인걸요

가까이 오지 말아요
미련은 내게 독약이에요

잔인한 사람,
마침표를 찍어줘요

여기까지가 우리의 끝이라고
이젠 안녕이라고.

이별을 고하다

이별하던 그 밤에는 별도 뜨지 않았다

웅크리고 앉아 힘겹게 내뱉은 말은
공허하게 사라지고

내 마음을 긁어모아도 이미 떠나버린
너의 마음은 잡히지 않는다

처량한 이 밤 그림자만 남아 있어도
너를 사랑할 수 있어서 행복했다

부르지 못할 너의 이름에
이별을 고한다.

생선가시

똑같은 말인데

왜 네가 하면

내 목구멍에 생선가시가

걸린 것처럼

그 말이 걸릴까

네가 나를 싫어하던지

내가 널 싫어하던지

그중 답이 있겠지.

그대는 아시나요

자욱한 안개가
나의 눈물과 한숨인 것을
그대는 아시나요

그대를 보내야만 하는
이 아픈 마음을
그대는 아시나요

돌아오지 않는다는 걸 알면서도
애타게 기다리는 이 마음을
그대는 아시나요.

운명

처절하게 울어대던 풀벌레는
본능을 거역하는 법을 잊어버리고
몸뚱아리가 사그라드는
운명을 덤덤하게 받아들인다

돌고 돌아 어렵게 왔건만
그 흔해빠짐으로
관심조차 받지 못하는
얄궂은 운명을 즐기는 가을이어라.

의문투성이

마음을 다해 사랑했다면
우리의 이별이 아름다웠을까

마지막 이별까지 생각하면서 사랑했다면
우리는 헤어지지 않았을까

어리석은 말들을 쏟아내고서
뒤돌아서며 보여준 마지막 눈빛은
너의 진심이었을까

우리는 사랑한 건가
사랑하지 않은 건가.

붕어빵

꼬스름한 꼬리를
베어 물다가
괜한 눈 마주쳐
내 눈에 눈물이 글썽

비늘을 쓰담쓰담
만지작거리다가
눈을 찔끔 감고
그냥 먹어버렸어.

영영

내 옆에 슬쩍 두고 간 그대 마음

바람이 불었을 뿐인데
햇살이 짧아졌을 뿐인데
나뭇잎이 물들었을 뿐인데

두고 간 마음은
하염없이 커져버렸어요
잊어버렸나 봐요

바람은 차갑고
햇살은 더 짧아져
나뭇잎은 쌓여 가는데

그대는 두고 간 마음을
잊어버렸는지
영영 돌아오지 않네요.

결국 나 혼자

너는 가버리고 나만 남았다
우린 하나였는데 혼자가 되었다

내가 가버리고 네가 남은 건지
네가 가버리고 내가 남은 건지

먼저 가버린 게 누군지 중요하지 않아
결국 나 혼자인데 뭐.

미련

바랠까 봐
당신 사라질까 봐
가장 아름다운 이 순간에 멈출래
그런데 우리 다시 시작할 수도 있잖아.

기도

누군가 접어놓은 책 귀퉁이를 펼쳐보니
어떤 이의 기도가 지친 나를 위로한다

신이여, 바라옵건대

제게 바꾸지 못하는 일을
받아들이는 평온함과

바꿀 수 있는 일을
바꾸는 용기와

그 차이를 구분하는
지혜를 주옵소서.

'라인홀드 니무어' 의 기도문

도시 월몰

작위적인 불빛들 사이로
불쑥 내민 그대의 얼굴이
반가워 불러봅니다

산등성이에 걸터앉더니
찡긋 미소 지으며
내게 손을 흔들어 주네요
작별인사였나 봐요

세상은 요란스럽게 밝아서
그대는 가버리고 없는데도
거기 있는 듯하여
빈손을 흔들어 봅니다.

집으로 가는 길

지친 하루의 끝자락
주머니 속에 만원이 있으면
택시를 타고 집으로 가고

창 밖 풍경이 궁금한 날
주머니에 이천 원이 있으면
버스를 타고 집으로 가고

오늘처럼 걷고 싶은 화창한 퇴근길
주머니에서 오백 원짜리
동전 두 개가 딸랑거리면
막대사탕 사 먹으면서 집으로 가고

집으로 가는 길은 마냥 즐겁다.

김밥

둥글둥글 그 속에
모든 걸 품고 있다
농부의 땀방울도
가을 햇살도
어미 닭의 울음소리도
바다 내음도
우리 가족의 추억도
엄마의 정성도
그래서 더 맛있다.

슬픈 보름달

보름달을 보면 눈물이 나

보름달은 너의 눈물로 만들어져
해가 없는 밤하늘에서만
만날 수 있으니

아무도 볼 수 없는 이 깊은 밤에
너를 생각하며 눈물 흘리네.

일회용 숟가락

의미 없다
내가 소중하게 생각했던 것들이
다 허상이었다

내가 생각하고 만들어낸
허상에 속아 행복했다
가짜였다

허탈감에 눈물이 흐른다
원래 내 모습은 없었다
쓰고 나면 버려지는
일회용 숟가락이었다

서랍에 가득 채워진
일회용 숟가락이 나였다

내 모습을 찾아야겠다
내 모습을 얼른 찾아야겠다.

옜다

옜다, 내 마음이다

니 맘대로 하거라

네 마음도 주거라

내 마음대로 하게.

사과의 부작용

우리 사이가 어그러질까 봐
먼저 사과했는데
잘못을 인정해서
먼저 사과한 것으로 만들어 버린
못된 너를 내 마음에서 지운다.

어른

널 짝사랑하면서 난 엄마가 되었다
새로운 것에 도전하는 법을 배웠고
마음을 다스리는 법을 배웠고
서운함을 이겨내는 법을 배웠고
상처를 보듬어주는 법을 배웠고
쓸쓸함을 즐기는 법을 배웠고
욕심을 덜어내는 법을 배웠고
묵묵히 기다리는 법을 배웠다
널 짝사랑하면서 난 어른이 되었다.

김 아무개 씨 배꼽 빠진 날

춘자네 선술집 낡은 간판이 고장 나 깜빡거려도
무심한 눈동자들은 슬쩍 머물다 지나가고
'한 잔만 더!' 를 외치던 김 아무개 씨는
혼자서 불나방마냥 춘자 네로 날아들어
다섯 시간 눈 붙이고 새벽일 가야 한다며
애먼 춘자 씨한테 팩팩거리다가
김치 한 쪼가리에 소주 한 병 입에 털어 넣고
칙칙한 밤하늘에다 긴 한숨 푹푹 불어내고선
냄새나는 작업복 속에 감추어지지도 않는
굽은 어깨를 노래 한 자락에 덩실거리며
어두운 골목 끝 집으로 터벅터벅 사라지던
그 날이 김 아무개 씨 배꼽 빠진 날이라고
말해주는 이가 아무도 없네.

난 그대가 아니면 안 되는데

난 그대가 아니면 안 되는데
그대는 모르지요

날 숨 쉬게 만드는 건 그대인데
그대는 알 리가 없지요

나의 심장은 떨려오고
난 그대 생각만으로도 행복해요

반쯤 가려진 눈에 그대만 보이니
아무래도 이건 분명 사랑인 거죠

계절 따위는 잊고 피었던 꽃은
오래전에 시들고

사랑이라고 믿었던
그대는 내게 손을 흔드네요

난 그대가 아니면 안 되는데
그대는 내가 아니어도 되는군요

내가 아니어도 숨을 쉬고
내가 아니어도 그대는 행복하네요

그래도 남은 계절 나로 인해 행복했다면
그대 마음의 빈자리는 채워진 거예요.

그게 어렵나요

보고 싶다 말하면
그대 돌아볼까요

그립다 말하면
그대 내게 올까요

보고 싶으면
그대가 돌아보면 되고

그리우면
그대가 내게 오면 되는 것을

그러면 되는 것을
그게 어렵나요.

고양이

살금살금 다가오더니
못마땅한 듯 뒤돌아 앉는 너

쓰담쓰담 궁댕이 토닥거려주니
무심한 듯 눈길을 주는 너

깜빡깜빡 눈인사하니
연인인 듯 내게 눈 맞춤하는 너.

좋은 날

이렇게 눈이 시리도록 좋은 날
내 마음은 시리도록 아프다

나의 추억 속에 네가 있는데
너의 추억 속에는 내가 있을까

문득 궁금해지는 가을날

우린 그 가을에 만났고
우린 그 가을에 많이도 웃었다

이렇게 눈이 시리도록 좋은 날
우린 젊음 하나로도 행복했다.

기다림

잃어버린 마음 한 조각
초승달에 걸어두고
그대 올까
그대 볼 수 있을까
그대 마음에 닿을까
조바심을 내어봅니다

지쳐가는 그리움 한 조각
그믐달에 걸어두고
이제나 올까
저제나 올까
혹시나 왔을까
기다림은 아련해집니다.

첫사랑

지금 내 눈 앞에
낯선 당신이 앉아있어요

그래요
세월이 흐른 거죠

머리는 하얗고
숱도 없어지고
책을 들여다보는 당신은
돋보기를 쓰고 있어요

그런 당신이 낯설어요

그래요
세월이 흐른 거죠

당신을 기다렸어요
당신이 사무치도록 그리웠어요

알퐁스 도데의 어느 소설처럼
더 이상 무엇을 못한다는
슬픔이 오더라도
우리 이제는 아파하지 말아요.

걱정

걱정은 돌보는 게 아니라
그냥 내버려 두는 거야.

그리운 그대

가만가만 머리를 빗겨주던
그대의 손길이 그립다

저만치 걸어가며
슬쩍 뒤돌아보던
그대의 눈길이 그립다

그런 그대를 바라보며
손을 잡고 함께 걸었던
그 봄 길이
오늘따라 더 그립다.

Thank you

힘들었다고

포기하고 싶었다고

그런데 애써 참아내고

여기까지 오기를 잘했다고

꿈을 꾸다

꿈을 지우다

다시 꿈을 꾸다

여기까지 온 거라고

그래서 너무 멋지다고

그래서 고맙다고.

결국 같은 그리움

너는 곧 떠난다고 말했지
뒤돌아 선 너의 모습은
이미 나를 지운 듯했어

우리의 추억 따위는
그리워하지도 않겠지

겨울이라는 감옥에 갇혀
널 기다린 나를 원망한다
너를 기다리다 얼어붙은 눈물은
흐르지도 않았어

봄을 알지 못하는 너에게
꽃잎이 그리움이었지

너는 그리움을 찾아 떠나고
난 떠나버린 너를 그리워하다
봄날에 흘러내릴 눈물로
꽃잎 하나를 힘겹게 피워낸다.

첫 눈

금방이라도 당신이 올 것 같아
서둘러 돌아왔어요

기다리는 이 마음 설레려나 봐요
계절이 여러 번 바뀌어 잊힐 뻔한 사람은
고개를 내밀어 창밖을 내다보네요

당신이 와야 이 계절이 완성된다는데
하얀 입김이 나오는 까만 밤을 지나
모두 잠든 새벽에 몰래 오려나 봐요

고마운 것 투성이네요
그렇게 와줘요.

계절의 편린

계절의 가장자리에
흐드러지게 피어 있는
미소가 눈부시네요

다른 계절로
이어지는 자리에서
망설이는 건 당연해요

설렘은 그리움으로 남고
늘 그랬듯 잊어버려요
그래야 해요

다시 설레네요
어쩌죠
늘 그랬듯 이건 비밀이에요.